MERIDIAN CZERNOWITZ
МІЖНАРОДНА ЛІТЕРАТУРНА
КОРПОРАЦІЯ

Сергій Жадан

ТАМПЛІЄРИ

Вірші 2015–2016

Ілюстрації *Олександра Ройтбурда*

Видання третє

MERIDIAN CZERNOWITZ

2023

І ось вони повертаються з війни, на яку багатьох їх покликали, і помічають, що війна насправді тривала лише для них. І що відповідати за неї тепер доведеться лише їм. І прірва між їхньою відповідальністю та їхньою війною заповнена запеклістю й злістю, але також і вірою та наполегливістю. І подолати цю прірву може лише той, хто пам'ятає, з чого все почалося. А головне — знає, чим усе має закінчитися.

«Тамплієри» — 39 віршів про війну, яку ніхто не оголошував, про біль, із яким ніхто не може впоратися, про любов, від якої ніхто не може відмовитися, та надію, на якій усе тримається.

Сергій Жадан

Пропозиція проілюструвати нову книгу Сергія Жадана полестила мені й зацікавила. У певному сенсі ми всі живемо в епоху Жадана. Сергій сьогодні — чи не найважливіша постать нової української літератури. Крім того, я сприймаю його як голос розуму і взірець чесної позиції письменника у наш розшарпаний час у нашій вже вкотре в муках самонароджуваній країні.

Я вирішив не ілюструвати буквально конкретні тексти, а створити таку собі сюїту за мотивами власних робіт різних років, образи яких — за моїми відчуттями — перегукуються з поезією Сергія. Наскільки це вдалося — судити вам.

Олександр Ройтбурд

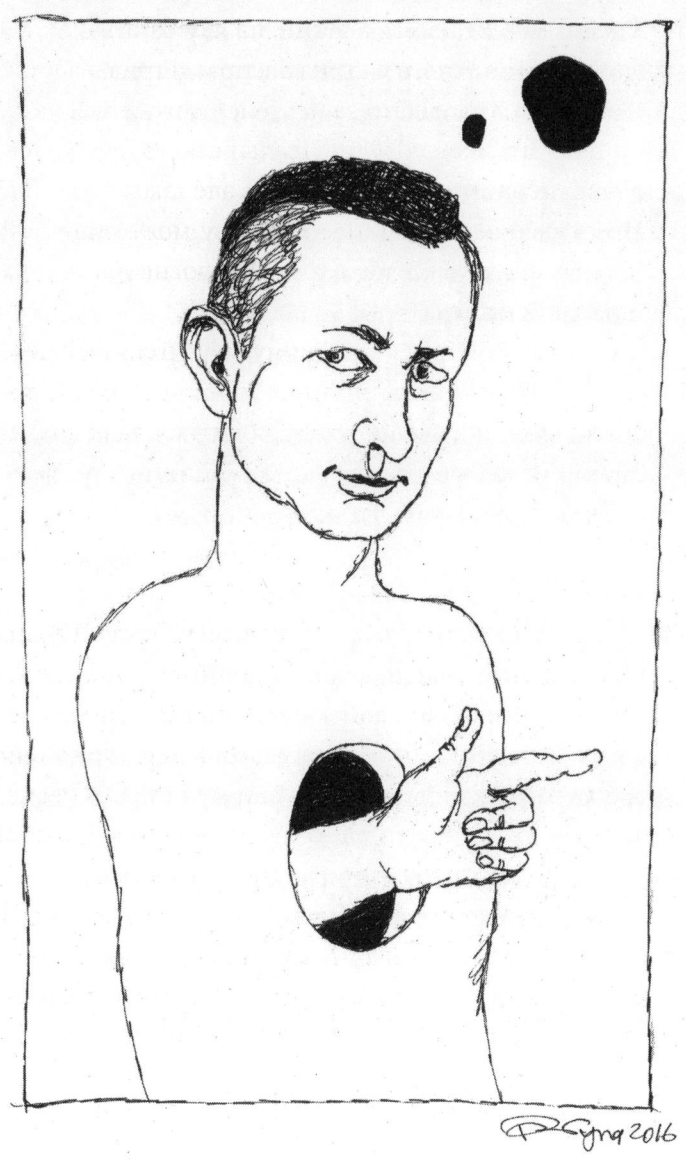

✝ ✝ ✝

Їй п'ятнадцять і вона торгує квітами на вокзалі.
Кисень за шахтами солодкий від сонця та ягід.
Потяги завмирають на мить і рушають далі.
Військові ідуть на Схід, військові ідуть на Захід.

Ніхто не зупиняється в її місті.
Ніхто не хоче забрати її з собою.
Вона думає, стоячи зранку на своєму місці,
що навіть ця територія, виявляється,
                                може бути бажаною і дорогою.

Що її, виявляється, не хочеться лишати надовго,
що за неї, виявляється, хочеться чіплятись зубами,
що для любові, виявляється, достатньо
                                цього вокзалу старого
і літньої порожньої панорами.

Ніхто не пояснює їй, у чому причина.
Ніхто не приносить квіти на могилу її старшому брату.
Крізь сон чути, як у темряві формується батьківщина,
ніби хребет у підлітка з інтернату.

Формуються світло й темрява, складаючись разом.
Літнє сонце перетікає в зими.
Все, що діється нині з ними всіма, називається часом.
Головне розуміти, що все це діється саме з ними.

Формується її пам'ять, формується втіха.
В цьому місті народилися всі, кого вона знає.
Засинаючи, вона згадує кожного, хто звідси поїхав.
Коли згадувати більше немає кого, вона засинає.

✝ ✝ ✝

Як ми будували свої доми?
Коли стоїш під небесами зими,
і небеса розвертаються й відпливають геть,
розумієш, що жити потрібно там,
                        де тебе не лякає смерть.

Будуй стіни з водоростей і трави,
рий вовчі ями й рови.
Звикай жити разом з усіма день при дні.
Батьківщина—це там, де тебе розуміють,
                        коли ти говориш вві сні.

Клади камінь при камені, будуй свій дім:
на глині, на чорноземі твердім,
вибирай у землі з кишень вугілля й сіль.
Кожен повинен мати дах для поминок і весіль.

Потрібно мати місце, якого буде шкода.
Вода чогось варта, якщо це питна вода.
Коли справді шукаєш винних, то це не ми.
Все життя ми будували свої доми.

Брила до брили, до цвяха цвях, стіна до стіни.
Якщо можеш мене спинити—ну то спини.
Але якщо хочеш, щоби мене тут не було,
доведеться, крім мене, забрати й моє житло.

Поближче до сонця, подалі від пустоти.
Дерева будуть рости, діти будуть рости.
На тютюновому листі виступає роса.
Ми будували так, ніби вивершували небеса.

Мов упорядковували висоту.
Ніби словами наповнювали мову пусту.
Ніби повертали речам імена.
До брили брила, до цвяха цвях, до стіни стіна.

Голос сильним дається для співу,
                    слабким для молитов.
Мова зникає, коли нею не говорять про любов.
Ночі не мають сенсу без темноти.
Світи наді мною, чорне сонце, світи.

✝ ✝ ✝

Міста будували з сонця і глини,
замішували їх на вірі й надії.
Але приходить літо в холодні долини,
і на камінні гріються змії.

Змії заповзають в наші будинки,
змії сплять на ламких простирадлах,
обживають кишені й армійські ботинки,
лежать по коморах і сухих підвалах.

Від червня горить, не згасаючи, спека,
і змії вичікують під подушками,
ховаються в кухнях та бібліотеках,
звиваються за віршами та словниками.

І ми стоїмо під пекучим небом,
і не можемо зайти на власні подвір'я.
Наші міста загусають медом.
В наших вітальнях літає пір'я.

І прогріваються могильні плити,
і всі завмирають, ніби в давньому танці.
Але один хтось знає, що треба робити,
і якось зранку береться до праці.

Тримайся нас, наша любове,
лють цього літа — дзвінка і висока.
Доброго полювання тобі, змієлове,
твердої руки й гострого ока.

Кожен із нас тебе знає й кличе,
і доки діти бояться заснути,
доброї роботи тобі, чоловіче,
хай менше довкола буде отрути.

Знайди бодай якесь виправда́ння
цьому місту із тисячею кривок.
Хай повертаються після вигнання
вагітні жінки до своїх домівок.

Вулиці тонуть у сонячній млості,
літню зелень не перебороти.
Життя дається для любові і злості.
Кожному вистачить роботи.

✝ ✝ ✝

В місті з'явилися невідомі святі,
молились камінню й спали на килимах.
Який зв'язок із господом при такому покритті?
Малюй хрести на потрібних тобі домах.

За ними прийшли військові й запалили міста,
почали різати безбожників та мирян.
І ось тоді Йона написав пояснювального листа,
зібрав речі й рушив за океан.

В Іспанії нині,— думав він,— на перевалах лежать сніги,
а з пляжів діти ловлять золотих медуз,
там є робота і поночі не душать гріхи,
там вітер ховається в складках рибальських блуз.

А тут між цих ассирійців страшніше щодень
і немає куди сховатися від вогню,
і що їм, ассирійцям, до моїх одкровень,
смішно думати, ніби я все це спиню.

Він вантажиться разом з усіма до гумового човна,
і море не має берега і не має дна,
платить перевізнику, знімає обручку з руки,
розраховує на три дні питну воду та цигарки.
Але серед моря їх зупиняє патруль,
і Йоні дірявлять легеню найгострішою з куль,
і він іде на дно, якого немає, і доки іде,
йому простягає руку господь,
                    який весь цей час був невідомо де.

Я виплюну тебе на берег,
                  як випльовує наживку найбільша з риб,
я вдихну в тебе життя, як вдихають звук у сурму,
поверну тобі голос, якщо ти зовсім охрип.
Ти маєш жити там, де ти маєш жити, і не питай чому.

Якщо ви всі прорветесь і уникнете облав,
якщо загубитесь у чужих містах,
ви все одно не зможете бути щасливими там,
                  де вас ніхто не чекав.
Вигнання завжди обертається тишею на вустах.

Я розумію, що ти не хочеш жити між бід і пожеж,
розумію, що тобі заважає кожна з моїх загорож.
Можна втекти від мене, але від себе ти ж не втечеш.
Та й від мене, якщо відверто, не втечеш також.

Тоді Йона сушить речі й приходить назад.
Провітрює дім, бачить, як розрісся яблуневий сад.
Яблука падають і лежать у траві,
ніби риби, яких викинуло на берег—ще не померлі,
                  але вже не живі.
І якщо їх не збирати щоденно, вони
                  обов'язково помруть.
І роса проступатиме на їхній шкірі, як ртуть.
Господь себе сам боронить та охороня.
А ось за деревами слід доглядати щодня.

15

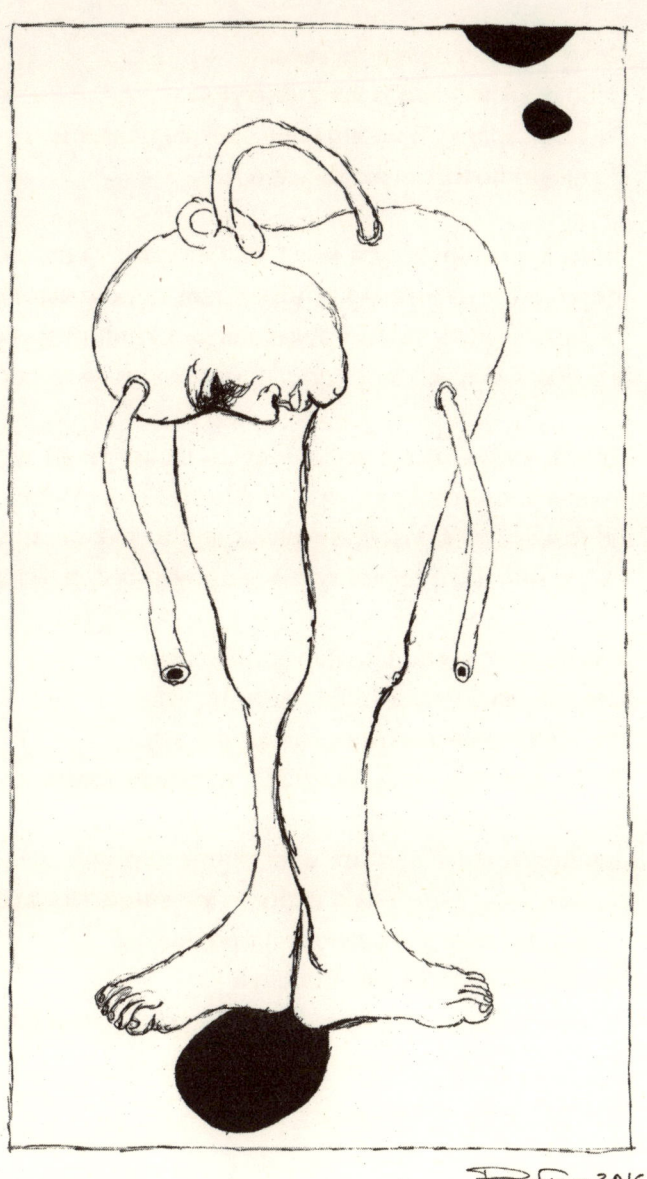

✝ ✝ ✝

Цього літа всі полюють акул.
Небо розглядає рибалок впритул.
Рибалки зранку бовтаються в спекоті неживій.
Надвечір починається буревій.

Вітрило розгортається, мов чай, кинутий у кип'яток.
Море схоже на книгу з великою кількістю помилок.
Рибалка радить акулам рухатись на рятівний маяк,
я потім, каже, всіх порятую, просто не знаю ще як.

Забудь, кажуть йому акули, забудь, не витрачай зусиль.
Краще допоможи тим, хто дійсно гине між хвиль.
Допоможи тим, хто не вигрібає, дай їм руку, допоможи.
Скоро ніч. Дощі просвічуються промінням, як вітражі.

Краще допоможи безнадійно слабким,
тим, хто далі уявляє себе невідомо ким,
хто і досі гадає вийти сухим із цієї води.
Зроби для них щось, якщо вже прийшов сюди.

Зроби хоч щось для тих, хто холоне в пітьмі.
Не витрачай свою волю на нас — ми впораємося самі.
Небо над нами розірвалося й пролилось.
Не треба рятувати світ, спробуй

урятувати хоча б когось.

18

Вогонь остиг і перегорів.
Тишу порушують повільні рухи морських корів.
Піймана риба висить на веранді, мов на хресті.
В церкві все — як у житті,
все-все — як у житті.

✝ ✝ ✝

Другий рік місто косить чума.
Не працюють навіть борделі й тюрма.
Скінчився хліб, скінчилась вода.
З культурного життя — лише хресна хода.
Ходимо, кличемо святих отців.
На зворотному шляху підбираємо мерців.

Папське ім'я втрачає силу і міць.
Відьми звільняються з робочих місць.
Сенс ворушити цю каламуть?
Що тут гадати? Всі й так помруть.
Яка різниця, що скажуть зірки?
Середні віки такі Середні віки.

І тоді єпископ приходить у єврейський квартал,
і говорить: «Хто з нас не гине за метал?
Усіх нас нищить небесний терор,
усіх нас винесуть в чорний коридор.
Світла немає. Відсутня мета.
Саме час починати свята».

І тоді лунає барабанний бій,
і підіймає з землі ремісників і повій,
і затягує нас у свою круговерть.
Тих, хто помер, не лякає смерть.
Не лякає жодна з її образ.
Боятись тут варто хіба що нас.

І ми одягаємо пір'я й хвости,
і змащуємо кров'ю натільні хрести,
і палимо на вулицях свого сатану,
і оголошуємо небесам війну,
і водимо процесії довкола вогнів.
Все, що в нас є — це народний гнів.

Клади на обличчя пудру й грим.
Ніколи не пізно померти молодим.
Ніколи не пізно змінити ім'я.
Про мене свідчитиме тінь моя.
Але ніколи й нікому не кажи про це.
Смерть не пізнає нас у лице.

Життя випалює нас, як сірники,
виймає, мов скалки зі своєї руки,
вириває нас, ніби ніж із плеча,
ми лишаємось, дикі, як алича,
лишаємось, апелюємо до своїх богів.
Як на небіжчиків у нас забагато боргів.

Лишаємось разом — мертві й живі,
стоїмо по горло у високій траві,
стоїмо на березі нічної ріки,
запалюємо старі маяки.
На вогонь прилітає лише сарана.
Ніч глибока. Немає дна.

✝ ✝ ✝

Кидай мертвих за борт,
кидай мертвих за борт.
Пускай під воду холодні тіла, замотані в шовк.
Мертві не знають клопоту, не знають турбот.
Зшивай роздертих, видовжуй рваний шов.

Скидай прокажених у хвилі,
скидай зачумлених в ніч,
тих, кого з'їли сухоти, мов черва,
сотні мертвих сердець
і сотні холодних облич,
кидай мертвих за борт, починаються добрі жнива.

Всім стане роботи і стане сил.
Працюй разом із нами — повернеш свій борг.
Витягуй їх, мов пійману рибу на стіл.
Роби гроші на мертвих,
скидай їх за борт.

Всіх, кому утроби пекло вогнем,
кого пропасниці вивертали, як светр,
хто відійшов літнім сонячним днем,
за ким не лишилось жодних ознак і прикмет.

Випалених лихоманкою, наче торф.
Вибілених тифом, ніби вапно.
Вкладай їхні голови до мішків і торб.
Кидай мертвих за борт, тепер все одно.

У нас буде багато втіх у житті,
на наших столах ще достатньо вина,
не думай про мертвих, про очниці пусті,
не згадуй про кров, що не відпирається з полотна.

Між нами достатньо гідних і видатних,
тих, хто вступив до переможних когорт.
Але мертвим не місце серед живих.
Мертвим місце між мертвих, скидай їх за борт.

Дякуй щедрим зорям, добрим часам.
Тривають довгі жнива, безтурботні дні.
Той, хто добуде тут до кінця, — залишиться сам.
Краще йому не бачити те, що він бачитиме уві сні.

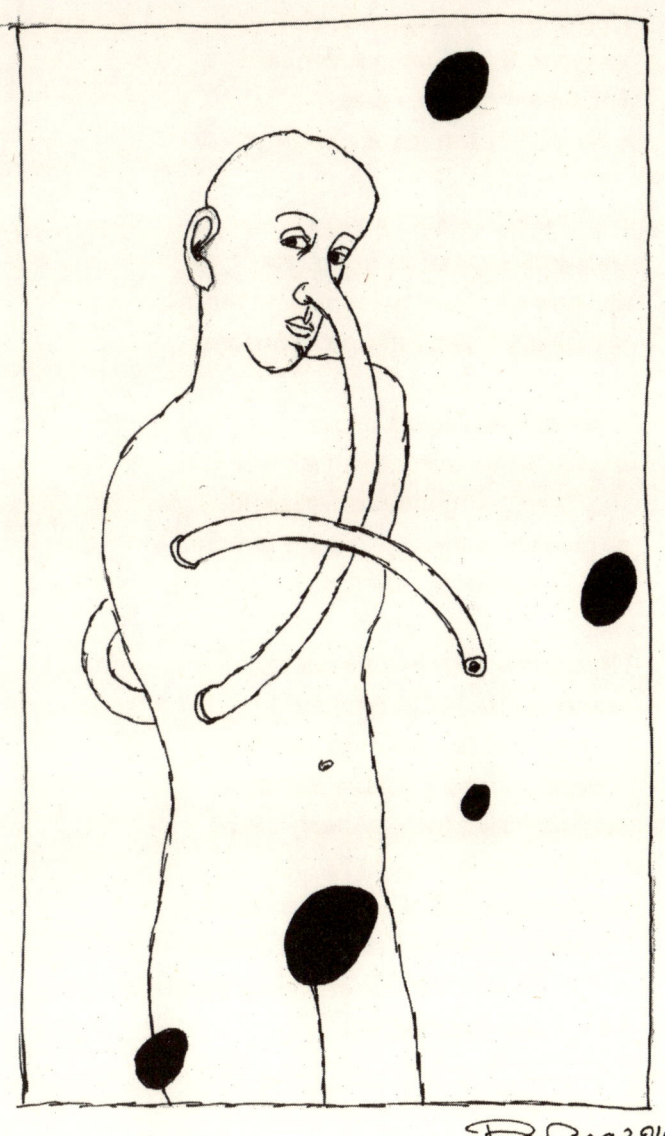

✝ ✝ ✝

Провидіння завжди стереже
того, хто навіть не думав тікати.
Бої відкочуються, і вже
в місті з'являються маркітанти.

Вантажені ліками і вином,
минають засідки та перепони,
бредуть від вокзалу старим полотном,
заходять у спальники та промзони.

Розкладають свої скарби,
ходять зайнятим щойно містом.
Ще один рік пройшов без сівби,
на спалених школах сидять голуби,
діти їх зганяють свистом.

Перекривається рух на постах,
і варта на розі співає канти.
Стільки життя в дитячих листах,
і сфери впливу в наших містах
ділять праведники та спекулянти.

Сонце над вами летить шкереберть.
І торгівля для вас — звична марнота.
Але доки ми платимо за власну смерть,
у вас і далі буде робота.

Хай немає вам прикриття,
тіштеся з щедрого медобору:
доки для нас нічого не важить життя,
ваші справи далі йтимуть угору.

Небо виснажується, пливучи.
Збувайте рештки хліба й отрути,
збувайте піхоті несвіжі харчі.
Ті, кого нині повісять вночі,
говорять у темряві, перш ніж заснути:

запам'ятовуй кожного з нас,
запам'ятовуй нічні години,
запам'ятовуй цей підлий час,
запам'ятовуй плітки й новини,

запам'ятовуй цей дивний світ —
майже завершений, майже готовий.
Жодного смутку. Жодних бід.
Запам'ятовуй. Запам'ятовуй.

✝ ✝ ✝

Кнопочна нокіа. Єдина родина.
Як тобі, ромко, моя батьківщина?
Тане в повітрі літа липка павутина.
Тулиш до пазухи тепле дрантя, ніби господнього сина.

Що ти бачиш з-поза своєї заслони?
Голос ближче до стебел і серце ближче до крони.
З ночі викочуються розстріляні ешелони.
Риють пісок гробарі. Готуються до оборони.

Буде осінь, ти не будеш такою.
Ніхто, крім мене, не плакатиме за тобою.
На руках у населення щоразу більше зброї.
Якби я мав вибір, я б обирав собі інших героїв.

Буде зима, будуть дитячі співи.
Буде обрій кольору вохри й оливи.
Але тепер зелені тумани, червоні зливи.
В державних гімнах усе відчутніші циганські мотиви.

Двадцять років шукати вихід із дельти Дунаю.
Бачиш, я теж разом з усіма її перетинаю.
Ластівки прилітають з узгір'я Синаю.
І немає, ромко, початку,
немає краю.

Все буде як вперше, все буде назовсім.
Юний місяць над золотим колоссям.
Червневі світанки з янгольським суголоссям.
Зручні родинні меблі, набиті твоїм волоссям.

І ти несеш своє серце, свою мороку.
Ступаєш разом з усіма до нічного потоку.
Теж думаєш перейти цю пітьму глибоку,
Приходить смерть—
і яка різниця, з якого боку.

✝ ✝ ✝

В ґетто ніхто не святкує різдво.
Снігу вихолоджене єство
стигне під брамами кам'яниць.
Дим підіймається з криниць.

В ґетто не буває зими.
Дихай зашитими грудьми.
Твоє плече подібне до крила.
Він любить тебе за те, що ти була.

В ґетто у тебе немає ім'я.
Прання тягне вниз течія.
З-того боку чути голоси пастухів.
Він називає тебе іменами трав і птахів.

Він дає тобі тисячі імен.
Благословен кожен твій рух,
і шепіт твій благословен,
благословен запах твоїх сорочок.
Заходить під шкіру перший гачок.

У тебе тут немає прав.
Він ніколи тебе не розумів,
але й не перебивав.
За муром ґетто стоїть світла жона.
Перший камінь у тебе кине саме вона.

Оскільки не розуміє, який у цьому резон.
Чому вам усім так потрібно бути разом?
Чому ви всі помираєте від самоти?
Ось ти — можеш відповісти?

Але містом перетікає ріка.
Перетікає вже стільки літ.
Безкінечна, чорна, важка,
розрізає світ.

Далі вибирай сама,
як бути при цій ріці.
Нічого не вдієш із вами всіма.
Живі люблять до смерті.
Потому люблять мерці.

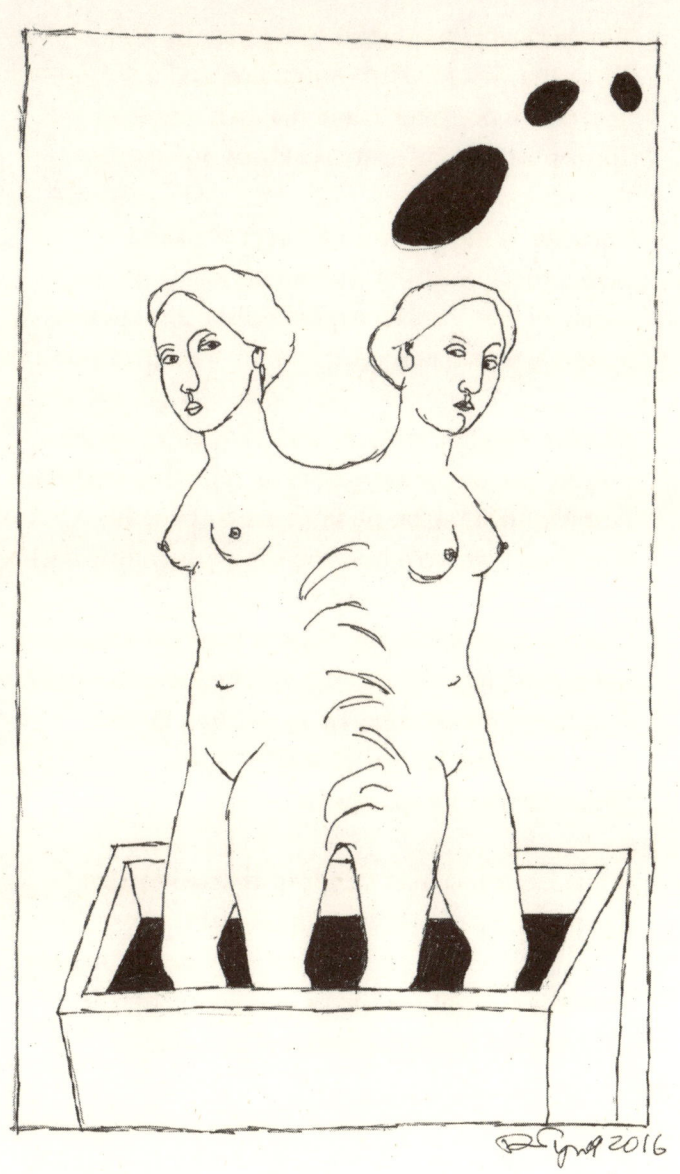

✝ ✝ ✝

Я знав священика, який був у полоні.
Шрам на скроні. Збиті чорні долоні.
Телефонні розмови з донецькими операми.
Трофейний опель із польськими номерами.

І ось він мені говорив: інститут церкви
поєднує нас усіх подібно до цегли,
випалює нас у вогні, скріплює нас для ґрунтовки,
хоча все це втрачає сенс уже під час артпідготовки.

Ще він говорив: спитай мене про воскресіння —
я відповім: щоби воскреснути, потрібне везіння.
Праведникам якраз не щастить в основній їхній масі.
Я люблю говорити про ворогів у минулому часі.

Спитай мене про прощення, я маю що відповісти:
прощення передбачає, що частина мирян — атеїсти.
Я принесу своїм ворогам на могили квіти.
Кара господня настигне всіх.
Вам, атеїстам, не зрозуміти.

Війна мене навчила не говорити про втрати.
З живими краще. Живих принаймні
                              можна порятувати.
В живих є те, що не дає їм лягти в траншею.
Здається ви, атеїсти, називаєте це душею.

34

Я думаю іноді, чи зрозуміють нас наші діти.
Серце моє легке і обійми мої розпростерті.
Моєї любові стане на всіх,
навіть на тих, хто хотів мене вбити.
Піду, до речі, нагадаю їм, що їх чекає по смерті.

✝ ✝ ✝

Дихає ночі теплий звіринець —
у темряві сплять птахи і тварини.
Чистить зброю молодий піхотинець,
чистить зброю, вбиває години.

Чистить її, говорить прокляття —
вагомі, як літери в телеграмі.
Гріє на серці срібне розп'яття,
підібране в православному храмі.

Слухає шум дощу за горою,
слухає сосен розгойданий осуд,
не випускає з рук свою зброю,
чистить її, як церковний посуд.

Вірить, що вона йому стане в пригоді,
протягне крізь вирви та чорторії,
десь у душі, на самому споді
розбудить удачу, яка прикриє.

Хай уві сні розмовляють діти,
і вгорі над ними висять планети,
цієї ночі так хочеться жити,
що від цього можна просто померти.

Він бачить життя в кожнім предметі,
в останній із найтемніших будівель,
і робить усе, щоб уникнути смерті,
робить усе, щоб відвести загибель.

Чисти, чисти, готуйся до всього,
що чекає на тебе сьогодні.
Смерть, як щеня, не відходить від нього.
Дивні діла,
дивні, господні.

✝ ✝ ✝

Сніг заносить залізничні перегони,
місяць світить всім замерзлим подорожнім,
йдуть на Київ добровольчі батальйони,
йдуть під небом — опівнічним і порожнім.

Кожен має свою власну нагороду,
кожен має недовіру і сміливість,
будуть різати таку саму голоту,
щоби відновити справедливість.

Маршуватимуть колони поріділі,
під мостами виставлятимуть сторожу,
до церков уранці кожної неділі
сходитимуться на службу божу.

Буде їм ім'я Христове, наче видих,
будуть слухати про муки і тортури,
будуть зігнутих від страху посполитих
волочити до комендатури.

При багатті, наче безпритульні,
будуть згадувати спалені домівки,
будуть кулеметами патрульні
вибивати іскри із бруківки.

Буде рватися вночі сигнальний постріл,
й можна буде по не надто втішних вістях
вирватися на оперативний простір
й загубитися на передмістях.

Буде поле зимувати перестигле
під усю цю маячню і колотнечу.
Нам з тобою неабияк пощастило —
завойовувати порожнечу,

йти на світло з цього простору нічного,
зимувати у старій світобудові.
Нам з тобою не лишилося нічого.
Крім любові, звісно.
Крім любові.

✝ ✝ ✝

«Ти так давно не голився,—говориш ти,—
                         давай тебе поголю.

Бритва не знає злості.
Бритва не знає жалю.
Бритва не знає подяки,
бритва не знає кривд.
Я знаю твоє лице, як сліпі знають свій шрифт.

Бритва зрізає пам'ять, мов очерет.
Бритва тягне на дно, бритва кличе вперед,
крізь посуху зморщок,
крізь піщані дюни лиця,
тягне крізь вилиці—гострі, як у мерця.

Я знаю твоє дихання і тепло,
я знаю те місце в тобі,
де любов перетворюється на зло,
я знаю твою шкіру—суху, наче ґрунти,
я знаю все те, чому навчив мене ти.

Бритва ніколи не запитає чому.
Бритва пускає кров, ніби до міста чуму.
Бритва править шрами, як маршрут кораблю.
Ти так давно не голився—давай тебе поголю».

І ведеш холодну сталь уздовж судин,
уздовж потоків крові, уздовж нічних годин,
ведеш, ведеш уздовж подихів і зітхань,
ведеш без подиву,
ведеш без нарікань,

поміж люті й ніжності, поміж втіхи й біди,
поміж небес і пісків, поміж суші й води,
поміж голосу і мовчання, ведеш углиб.
Головне не схиб, чуєш, головне—не схиб.

Ніхто не знає, як працює любов,
з яких рухів вона народжується, з яких розмов,
з якої виймається радості, з якої вини.
Але вона працює, спробуй її зупини.

Тонко-тонко проходячи поміж вен,
ледь торкаючись лезом імен,
виснучи в порожнечі,
не маючи опертя,
за крок від смерті,
за крок від життя.

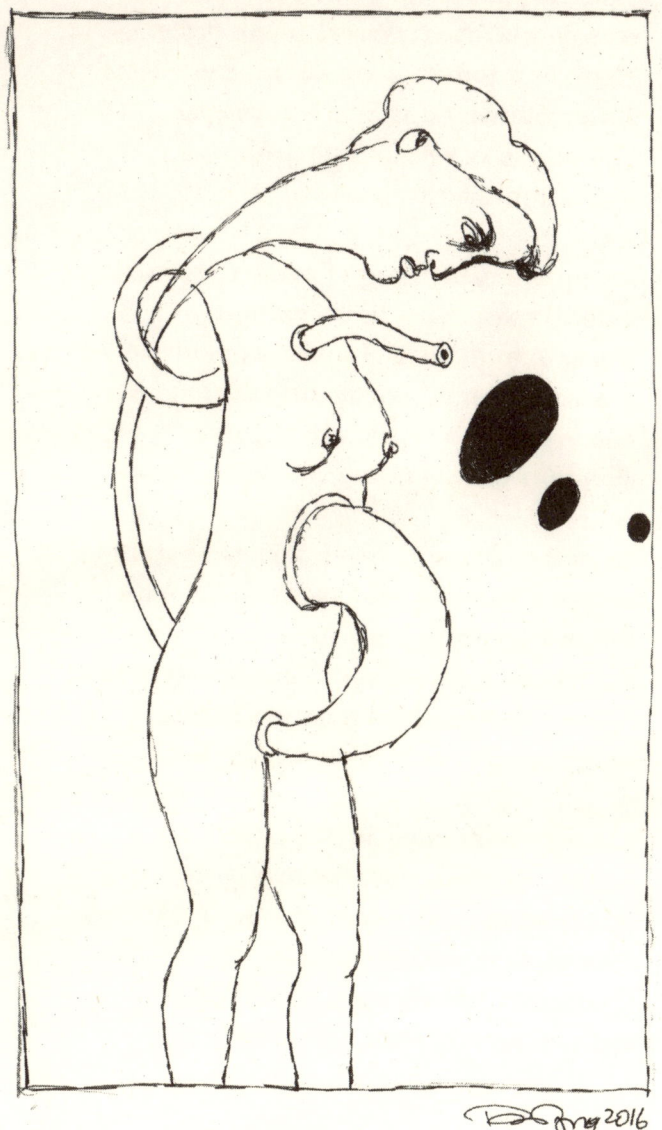

✝ ✝ ✝

Повітря з ночі стигне холодом і вже
на ранок осінь відчувається, мов берег.
Ніхто не втримає, ніхто не вбереже.
Ліси стоятимуть, як літери в паперах,
і рівень тиску в ріках та озерах
пов'язаний з погодою лише.

Так правлять річище, так рушать глибину,
з вагою трав, з упертістю насіння.
Я знаю, що ти спиш, і в стеблах твого сну —
я знаю — є метал, що студить сновидіння.
Вологі яблука в передчутті падіння
вбирають осінь — зимну і питну.

Ти знаєш цей метал, він глибше з кожним днем,
він розкривається над полотном озерним.
Рудою букв і золотом фонем
під серцем холодно стоїть залізний серпень,
торкається тебе своїм гірким осердям,
освітлює тебе своїм нічним вогнем.

І сонце — мед, домішаний у скло,
і глина — ліплена з вологи та отрути,
приймаючи тягар всього, що вже було,
і невагомість усього, що має бути.
проводячи тебе від жару до остуди,
тобі слугують за густе осіннє тло.

46

Такими ранками й займаються світи,
стискають серця теплу стиглу грудку,
аби ти бачила, аби відчула ти
це дихання утрати і набутку,
серпневий сплав упевненості й смутку,
серцевий згусток пустки і мети.

Аби тебе вело, аби ловило скрізь
це світло осені потойбіч перевалу,
ці стебла і гілки, які переплелись.
Вимотуй, добирай у сплетеність тривалу
нитки любові і нитки металу,
вечірню щедрість і ранкову злість.

Хай тиша осені — невидима, туга,
з якої родяться кристали павутини,
торкається тебе, аби твоя снага
прокачувала кров крізь вени і судини,
ламаючи цей світ на золоті частини.
Лишається любов.
З'являється вага.

✝ ✝ ✝

Коли вона остигає, ніби вогонь,
коли вона уповільнюється, мов ріка,
тиша торкається її скронь
і кожної літери на кінчику її язика.

І коли не стає слів,
і мова обриває нитку свою,
голос її стає подібним до полів,
з яких зняли золото врожаю.

Теплий натомлений ґрунт
ще відчуває в собі тяглість рослин,
і коріння має солодкавість отрут,
і має минущість хвилин.

І десь там — між холодом і теплом,
між тяглістю каменю й рухом води —
завмирає і лишається тлом
усе, що потрапляє сюди.

Все переходить на темноту,
все спресовується в пил,
переплавляючись на тишу, на німоту,
набираючись терпіння й сил.

48

І тоді знову надходить час,
коли все прокидається й повстає,
наповнюючи рухом все нараз,
озвучуючи усе, що є.

І знову родяться врожаї,
знову лаштуються жнива,
і тиша запалюється в горлі її
і перетворюється на слова.

Тоді голос її починає рости,
рветься вгору, мов гіркі часники,
корінням торкаючись німоти,
листям вростаючи у словники.

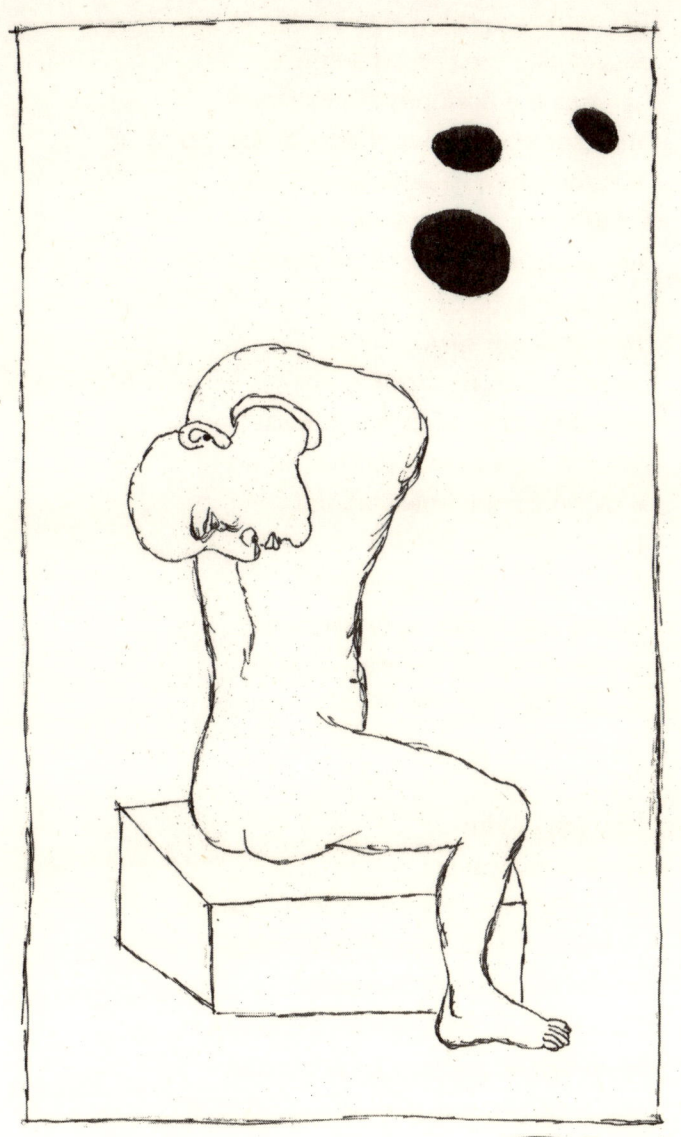

✝ ✝ ✝

На пагорбах, які лежать вночі,
немов забуті на веранді книги,
залишені й розгорнуті наосліп,
на темних пагорбах, з яких стікає синь,
на стовбурах, на золотому листі,
подібному на втомлене лице,
що западає в перші сновидіння,
цей знак відваги,
цей вечірній знак,
який тримає на потоках вітру
пташині зграї, знак, що забиває
дитяче дихання й підштовхує дітей
в застуду ночі, мовлячи: іди,
іди й не бійся! Де твоя відвага?
І ти ступаєш у червневу ніч,
немов заходиш у протічну воду,
ступаєш, простягаючи з пітьми
до мене руку,
стигнеш і ступаєш.

Про що ці книги?
Хто їх розгортав?
Хто зчитував суху поверхню шрифту,
за впорядкованістю літер і рядків
пізнаючи очерети й дерева?
Народження, зростання і терпіння,
відлучення, прощання, вигнання —
усе записано в ці річкові ландшафти,
усе занесено до подорожніх схем

52

у потаємних книгах птахоловів.
Знаходь, відчитуй і запам'ятовуй:
чекання в листі, пам'ять у камінні,
тривога в чорній польовій траві,
образа, що наснажує дерева,
зневіра, що виповнює ґрунти,
любов, яка проймає кожен пагорб.

Ступаєш і заточуєшся в ніч,
і відпускаєш течію, ступаєш,
і темрява ступає за тобою.
Пливеш — немов читаєш сторінки
забутих книг, пливеш — немов кохаєш.
Наскільки стане сили і тепла,
наскільки стане кисню у легенях,
вдихай цю ніжність, видихай її,
допоки річище несе і вивертає
свою вологість, й кожен потопельник,
що не доплив, зламався, зупинився,
услід тобі тривожно салютує.
Відчитуй, говори, запам'ятовуй.
Всі книги, всі малюнки й словники.
Всі пагорби, всі річища й дерева.
Твоє нічне тепло. Твоя відвага.

53

✝ ✝ ✝

Тоді починається вечір. Саме тоді
жінки лишають домівки й виходять на берег,
дивляться, що там робиться у воді,
озираються на кожен шерех.
Знають, скільки всього припливе сюди,
скільки сонця й ночі буде в олії,
скільки довкола них важкої води,
скільки довкола вірності і надії.

А чоловіки стоять у човнах,
викручують роби намоклі,
помічають щось у берегових вогнях,
розглядають дерева в чорні біноклі.
Знають, яка підступна ця вода.
В ній не хочеться ні жити, ні помирати.
Знають, що під будинками в них мертва руда,
а повітря над ними складається зі зневіри й зради.

54

І лише там, де хвилі виснажено вертають назад,
де пісок захлинається в хвилях, сягнувши своєї міри,
видно, що вірності в повітрі стільки ж, скільки і зрад,
а надії довкола стільки ж, скільки й зневіри.
І все те, що є, випалюється, мов ліси,
і зберігається, як церковне срібло.
Тиша лише посилює голоси.
Темрява лише окреслює світло.

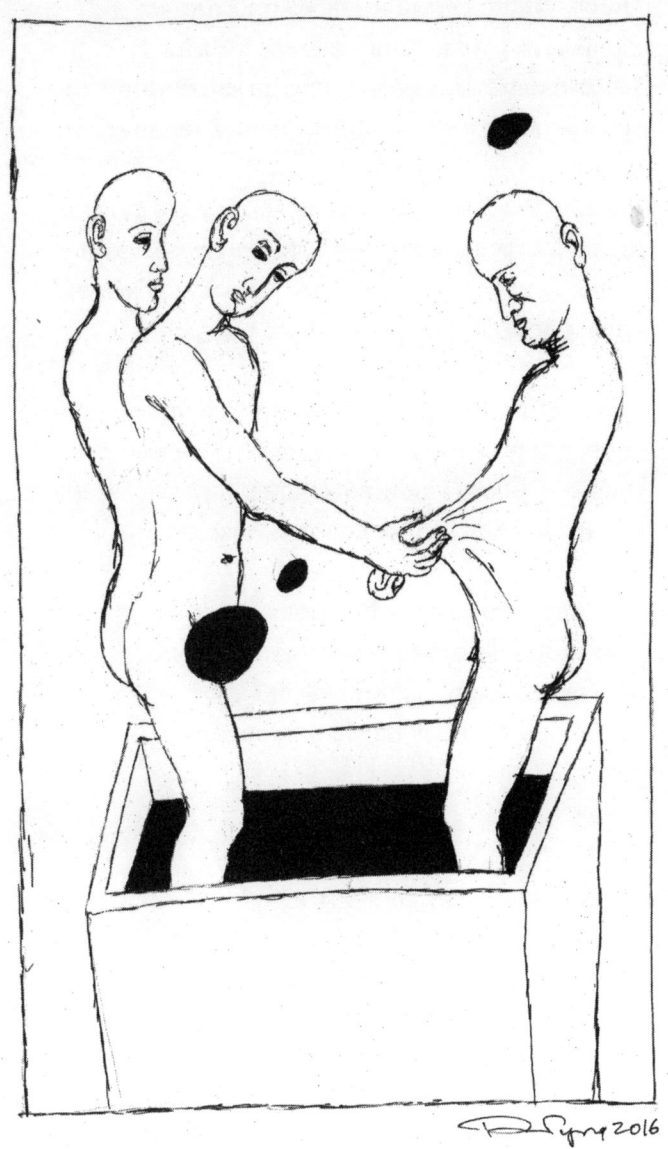

✝ ✝ ✝

Немає такого світла й такого проміння.
Проймати собою тінь — велике вміння.
І вміння висвітлювати на шкірі западини й тіні
тримається лише на примиренні і терпінні.

І коли вона відводить погляд і ступає в сутінь,
шкіра її стає подібною до глиняних посудин:
до неї вливається тьмяність, вливається морок,
впадає темрява, як ріка впадає в море.

І не пробитися крізь цей морок, що впав на плечі,
і передпліччя її — ніби озерна вода надвечір:
глибина дихає, глибина холоне,
і повітря на смак таке солодке, таке солоне.

І думаєш, що там — у цих водяних проймах,
ловиш теплі потоки в зимних водоймах,
втрачаєш витримку, втрачаєш віру.
А тоді світло знову падає їй на шкіру,

і тінь відходить, і проступають деталі,
і хвилі викочуються щоразу далі й далі,
і мала б тривати вічно прозорість осіння.
Але немає такого світла, такого проміння.

✝ ✝ ✝

Світло горіло всю ніч до ранку.
Протяги легко торкали фіранку.
В будинку спали. Спали в місті.
Темрява перекривала мости.
Стиглі яблука в чорному листі
продовжували рости.

Запах дощу на нічній веранді.
Великі дерева такі безпорадні —
стояли сам на сам із повітрям,
мовчали, слухали, входили в тінь,
торкалися темряви мокрим віттям,
кожним із переплетінь.

Будинок спав. У його коридорах
стояла любов, як хвороба в порах,
як звук, що зривається з піднебіння,
як промені, що добиваються дна —
вивітрена, мерехка, осіння,
вона стояла одна.

Сходи, сволоки, книги й меблі:
речі — вимучені і теплі,
назви, з яких починалися ранки,
простір, який формував вечори,
звички, залежності, забаганки —
згадуй і говори.

60

Вікна вихоплювали прохолоду
і, ніби прапор або свободу,
вперто і віддано, знов і знов
її зберігали, усім на подив,
сюди ніхто давно не приходив,
звідси ніхто не пішов.

Світлі, спраглі, безособові.
Все тримається на любові,
все стосується головного,
все постає з дрібниць,
з незрозумілого і живого,
зі свідчень і таємниць.

Хай стоять непокірні будинки.
З якої не починай сторінки—
час перемотує рвані жили,
перетягує сірі бинти.
Тебе тут надто сильно любили,
щоби звідси піти.

Хай буде так, як було раніше.
Вона чекає, але не пише,
як і завжди восени.
Світло холоне серед кімнати,
і вже коли їй потрібно вставати,
починають снитися сни.

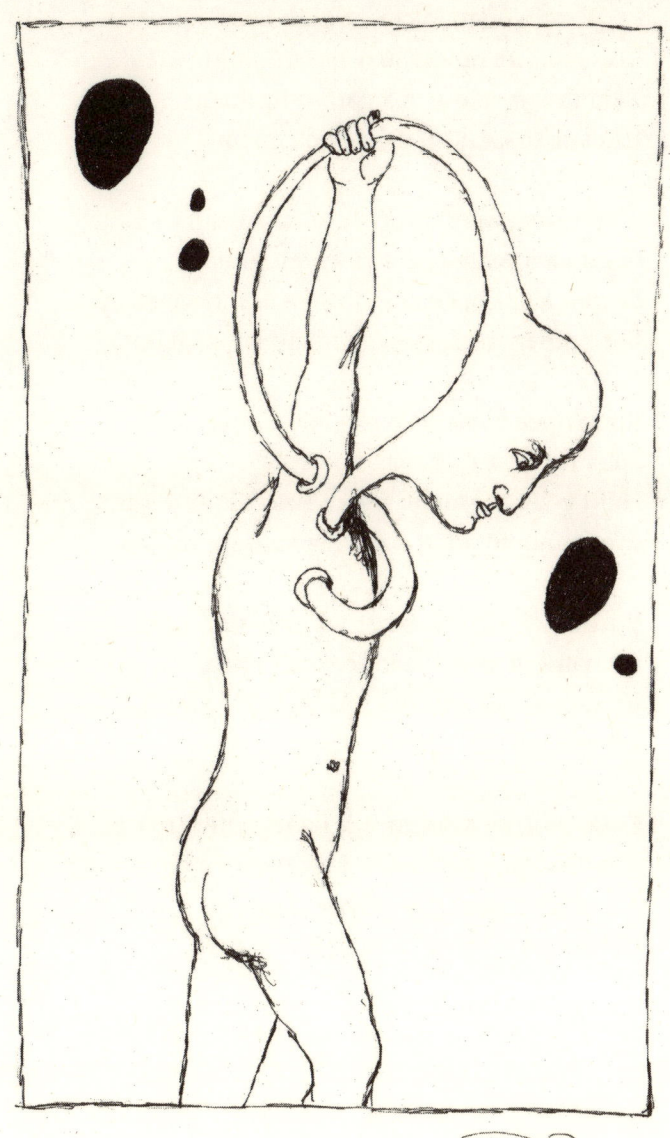

✝ ✝ ✝

— Де твій брат, чуєш, де твій брат?
Чому він не приходить останні дні?
Хіба там, де він є, так багато принад?
Що він ховається, ніби риба на дні?

— У цьому місті стоїть сто церков,
безліч костелів і ціла тьма синагог.
Звідки я знаю, де він? Темніє під нігтями кров.
Бог розбереться сам, якщо він справді бог.

Кров проступає на одязі, ніби лик,
кров гірчить на яснах і на зубах.
Ніби у вішальника, висне в небі сонця язик.
Стоять чорні воли дощу на важких горбах.

У цьому місті в кожного є таємниці свої,
тут завжди вистачало золота і вина,
не вистачало хіба що пристрасті, саме її,
а брата завжди цікавила вона одна.

Саме у нього завжди був найкращий товар,
в нього було чорне око і гострий слух.
А я сидів і випасав табуни примар.
Що я можу знати? Я просто пастух.

64

Що я тепер розповім про його сорочки,
які я доношував ціле життя за ним,
про всі його звички, про всі його балачки,
про нашу родину, що трималася ним одним?

Що я розповім тепер про ту ніч,
коли він привів цю жінку до нас у дім,
про те, що я ніколи не бачив таких облич —
такого шалу, як у погляді її твердім,

про те, що її волосся мало таку вагу,
аж ніколи не розсипалося, а текло, наче мед,
що я брав з її рук посуд на кухні, як річ дорогу,
і ховав її паспорт у себе, мов коштовний предмет,

про те, що з нею легко було втратити лік
безкінечним дням і коротким ночам,
про те, що хотілося вбити кожного,
                              хто в її не дивився бік,
тим більше — кожного, хто її помічав.

...Зранку в місті голосять церкви, всі сто.
Тремтить у лісі налякана дичина.
Про те, з чого складається пристрасть,
                              не знає ніхто.
Вона ось знає. Але не розповість і вона.

65

✝ ✝ ✝

Вони навіть можуть жити в різних містах
і в своїх розмовах не торкатися головного,
але ті слова, які він їй пише в листах,
вона читає так, ніби їх не було до нього.

І коли вона не отримує від нього листів,
і починає нити і рахувати втрати,
вона ненавидить все, що він їй говорив,
себто, ненавидить взагалі усе, що може згадати.

І коли він відкриває світ, ніби верстак,
пристосовуючи його до любові своєї,
все, що він робить, він робить щоразу так,
аби вона розуміла, що він це робить для неї.

Тому що для нього найгіршим з усіх терзань,
миттю, коли починались усі його біди,
завжди було проводжати її на нічний вокзал,
до останнього сподіваючись, що вона не поїде.

І тому він хоче просто бути з нею цієї зими,
класти їй на подушку зібрані метеорити,
і спати з нею так, як пси сплять із дітьми—
щоби зігріти і щоби не розбудити.

І він говорить: хай буде так, хай буде без таємниць.
Хай буде так,— погоджується вона, рахуючи заметілі.
Мова їм потрібна лише для того,

аби не наговорити дурниць.
Весело працює волинка серця в гарячому тілі.

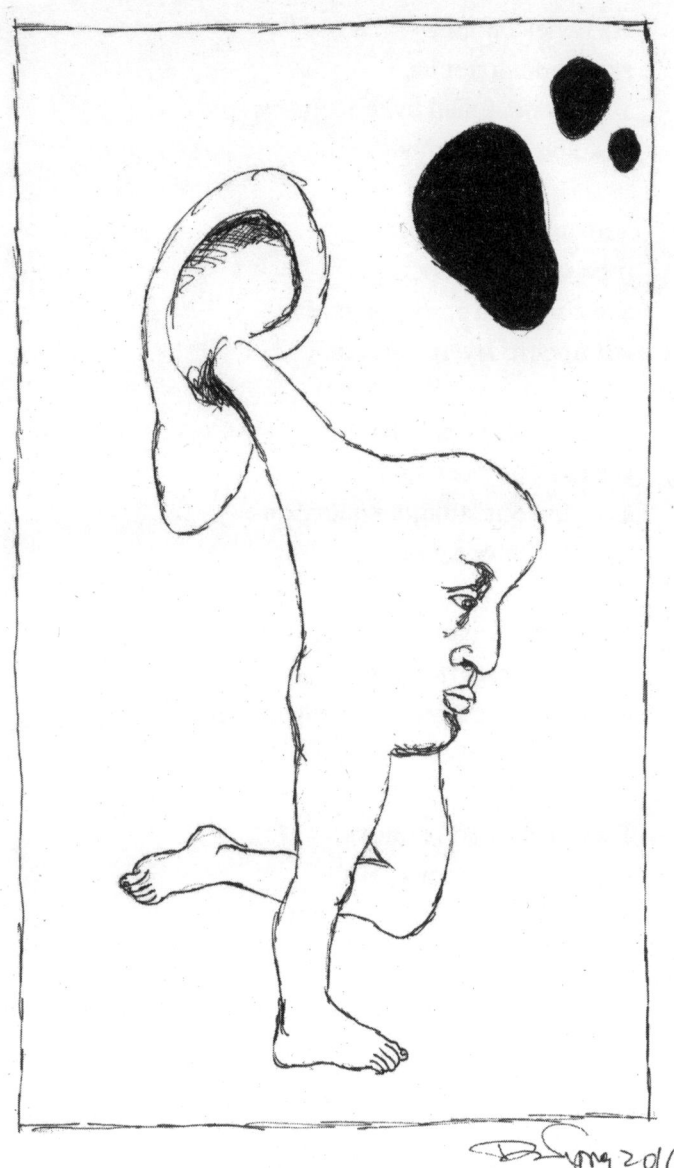

✝ ✝ ✝

На перевалі дим
гусне після дощів,
але камінь і далі буде твердим
між вологих кущів.

З нього робили міста,
ним мостили мости,
але він і далі з землі вироста,
він просто мусить рости.

Мусить рости зі снігів,
мусить тонути в снігах,
як сліди мисливців і пастухів
на господніх вагах.

Мисливці виходять у ніч,
і пастухи гасять вогні,
лишається камінь — коштовна річ,
схована в глибині.

Так близько до темноти,
так глибоко, як мерзлота.
Хтось далі буде ладнати мости
і зводити міста.

Чоловіки сидять при столі,
збирають монет луску,
їм вибирати каміння з землі,
вигрібати його з піску.

Їм ловити рибу в ріці,
звірину в лісах.
І з'являється спокій наприкінці
у них в голосах.

Тиша стоїть між них.
За ними лежать поля.
Такий холодний-холодний сніг.
Така гаряча земля.

✝ ✝ ✝

Заходь за мною в сніг.
Тримайся міцно руки.
Я б вибрався звідси, якби я міг,
ніч рвучи на шматки,

пройшов би потойбіч зими,
вийшов би поміж димів,
заговорив би серце пітьми,
якби говорити вмів.

Але в цих снігах
горло п'є німоту,
і голос зривається, ніби птах,
що замерз на льоту.

Не переназвеш слова,
не перечекаєш час,
віра наша доти жива,
доки стосується нас.

Тримайся, тримайся руки,
ступай слід у слід,
доки холодні січневі зірки
обалюються на Схід,

доки тепло полів
здіймається догори.
Нічого не чути. Немає слів.
Говори,
говори.

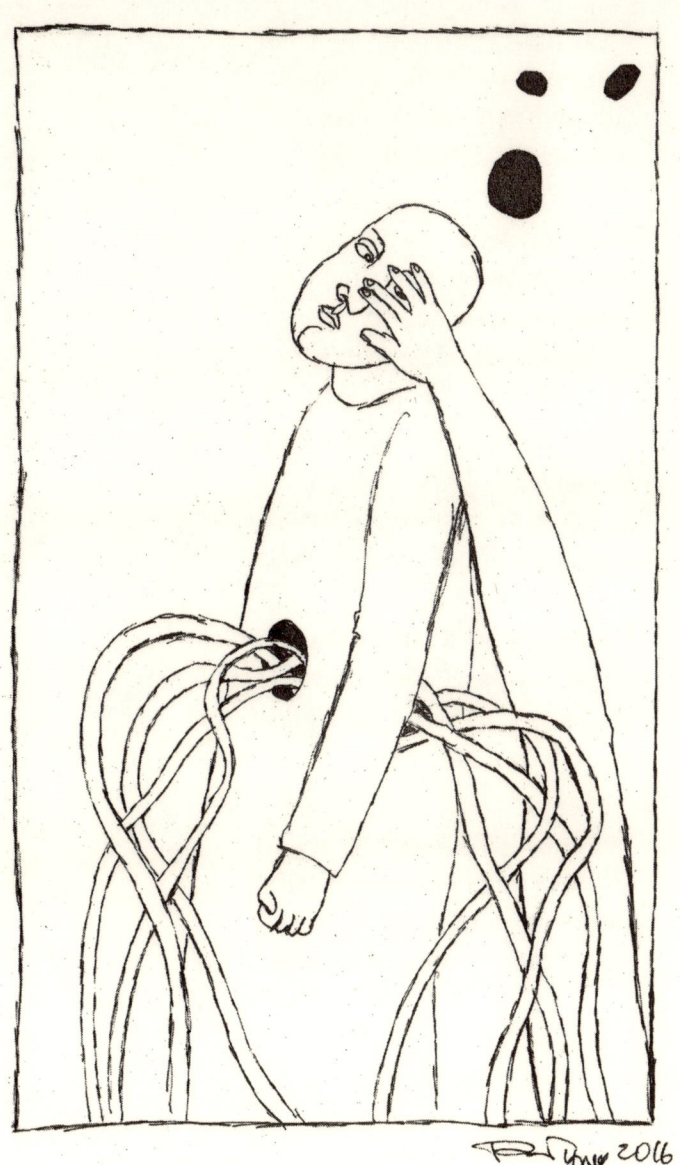

✝ ✝ ✝

Зима приносить віру і спокій,
відточує виваженість і снагу.
Літери імені твого глибокі,
ніби перші сліди на снігу.

Вони тепер окреслено й чітко
ламають беззахисне покриття,
з наших імен і наших учинків
витворюючи наше життя,

змінюючи все докорінно й миттєво,
збиваючи зі стежок і доріг.
І кожна літера — ніби де́рево,
чорним чорнилом випалює сніг.

Все, що знане й давно відоме —
читати дерева, ніби псалми.
Пишеться, пишеться без утоми
книга полів цієї зими.

Сонце гусне в гарячому інеї,
обпалена шкіра, і поза тим —
світла граматика твого імені,
якою пишуть подяки святим.

76

Не знаючи що це за мова і звідки,
хто збирав її в словники,
але пишуть подяки запеклі підлітки,
пишуть похмурі чоловіки.

Приходять в церкви і стоять там доти,
доки їх не покличуть звідтіль,
і співають, не знаючи, що таке ноти,
люблять, не знаючи, що таке біль.

Важкі розлами русел і вирів.
Срібне проміння гілок і трав.
Підспівують ті, хто любив і вірив.
Дивуються ті, хто нічого не знав.

✝ ✝ ✝

Хтось підглядає за тобою в шпарку.
Типографський шрифт зимового парку.
Птахи — крикливі, наче плакати.
Будеш плакати. Будеш звикати.

Зима буде теплою і живою.
Будеш чути над головою
ідиш пташиний з нічного краю.
Якщо забудеш — я нагадаю.

Все, що стосується цієї миті,
гострі лінії в деревориті,
спалах крихкої озерної криги,
незагоєне серце відлиги,

незавершені фрески снігу,
дякуй за втому, дякуй за втіху,
дякуй за сподівання і втрати,
за можливість плакати і звикати.

Забувати все,
забувати всіх —
синя прожилка
проймає сніг,
пам'ять збивається
в налякану зграю.
Спи, не бійся —
я нагадаю.

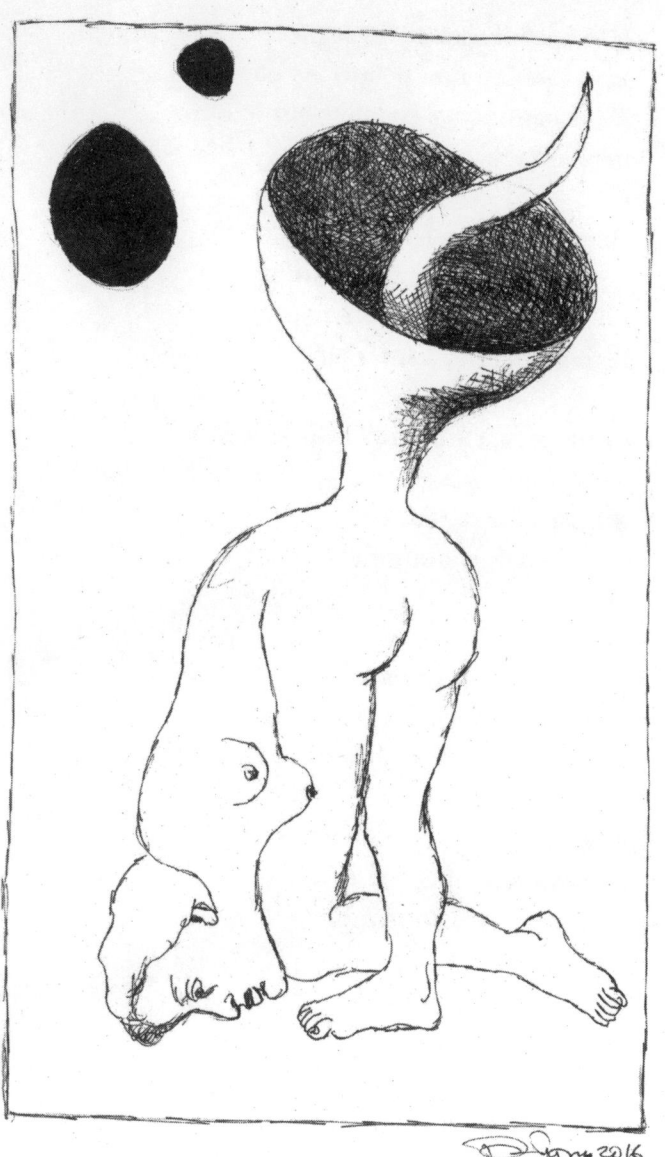

✝ ✝ ✝

На кораблі вантажать зерно.
Вантажники при роботі від ранку.
Жінка виносить холодне вино,
переливає в склянку.

Ллє, озираючись на голоси,
не поспішаючи, ллє по вінця.
І ось птахи прилітають з коси,
і сплять над лиманом вівці.

Сиплеться, сиплеться стигле зерно.
Не залишиться жодної кривди.
Жінка дивиться за вікно,
чекає, коли він прийде.

Чекає, що він прийде сюди,
прийде удень чи прийде надвечір.
Вівчарки голосять коло води,
нюшать сліди овечі.

Морок стоїть у сухому вині.
Сутінки в серпні такі тривалі.
Вона чекала його ці дні,
І чекатиме далі.

Доки будуть вантажити хліб,
доки везтимуть його до моря,
доки найменша з господніх риб
плистиме, не знаючи горя,

доки намучені чоловіки
з рибою будуть вертати потому,
знаходячи в небі потрібні зірки
й правлячи шлях додому,

доки є можливість прийти,
доки земля зливається з небом,
доки в море азовські ґрунти
обриваються чорнозе́мом.

Триває, триває довгий лік.
Тихнуть дерева нічного саду.
Сонце прокачується, мов сік
легенями винограду.

✝ ✝ ✝

Все, як сто років тому.
Час рухається по колу.
Військо виповнює тишу вагонну,
щоби вертатись додому.

Снуються вечірні тіні.
Зроджуються таємниці.
Знову історія країни
твориться вздовж залізниці.

Тут триває торгівля
і передаються новини.
Тримає разом вокзальна покрівля
людей цієї країни.

Стоять при своїй печалі,
коло своєї знемоги,
ховаються всю ніч на вокзалі,
наче в церкві старій за облоги.

Війна триває сторіччя,
і триватиме ще віками,
пильно дивляться тобі в обличчя
проповідники з провідниками.

І потяг з різним народом
вивозить важкі валізи,
ніби срібним болючим дротом
зшиває глибокі надрізи.

Гоїть надріз за надрізом,
лікує небес екземи,
скріплює рейок холодним залізом
податливі чорнозéми.

Рідна моя, єдина,
моя вірна, солодка,
коли безкінечна година,
коли ніжність коротка,

коли стільки всього простого,
і складного не менше.
Не змінюється нічого.
Добре, що все, як уперше.

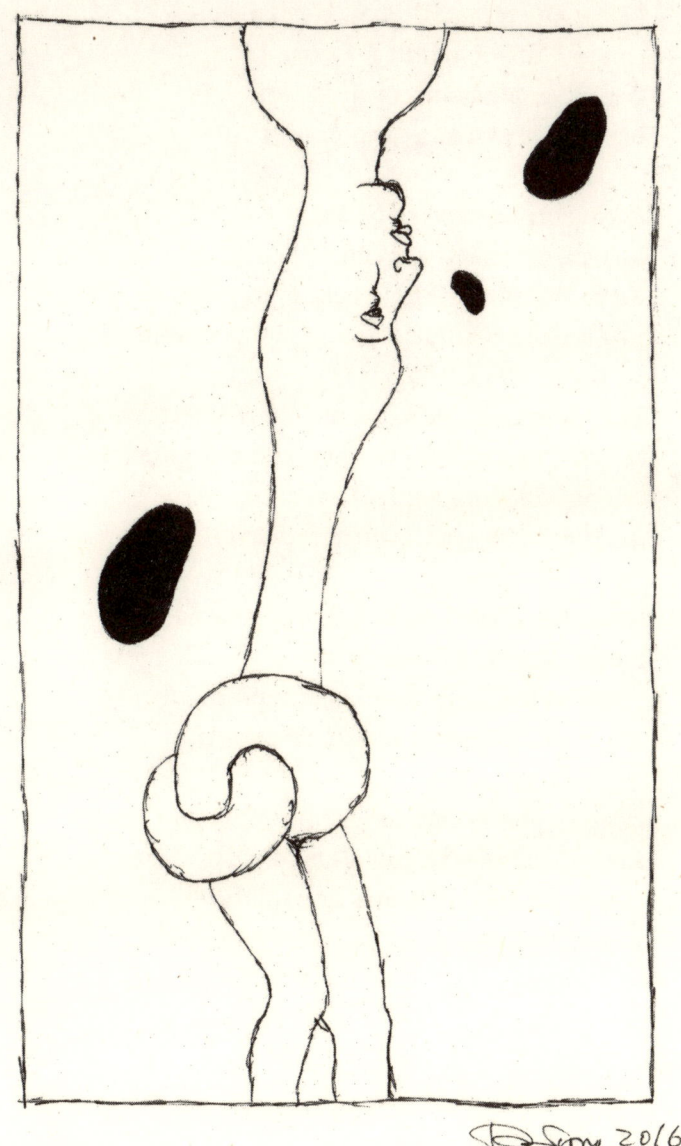

✝ ✝ ✝

І стільки світла. Щоразу. Навіки.
Друга лінія оборони.
Сонце, мов пальці, зігріває ріки.
Весна приходить до сірої зони.

Дощ у стриженому волоссі.
Відігрітий шматок країни.
Коли із зони виходять діти й дорослі,
там все одно лишаються звірі й рослини.

Там лишається небо, як порожня майстерня,
і земля, мов камінням, наповнена мерцями,
і мерці годують від травня до серпня
молоду кукурудзу своїми серцями,

вони відпоюють кров'ю сухе коріння,
гріють землю в її осерді,
у них за життя було стільки терпіння,
що воно лишилось навіть по смерті.

Вони перші прийшли сюди й померли перші.
Кров на одязі — всього лише плями.
Навіть по смерті, навіть померши,
можна доглядати за травами і полями.

Можна сприймати смерть як скорботу.
Але в смерті завжди будуть резони.
Мертві роблять свою роботу.
Квітнуть дерева сірої зони.

✝ ✝ ✝

Виверни рукави осель.
Весна така неминуча й близька.
Я пам'ятаю тебе, ніби карту східних земель,
з яких мене вибили ворожі війська.

І тепер єдине, чого хочу,— вернутись сюди,
знову зайняти міста, з яких відступив,
вирізати всіх, хто тішився з моєї поразки й біди,
вбити по кордону межові стовпи.

Щоби знову бачити те, чого не бачить ніхто,
і те, чого не освітять жодні зірки:
горло твоє—беззахисне, мов пташине гніздо,
підсвічене світлом із коридору, ніби вишневі гілки,

голос твій—схожий на теплий щільник,
в якому щоденно добирається мед,
хочу відтворювати ім'я твоє, мов діалект, що зник,
реставруючи за переказами кожну з його прикмет,

зламати все іще раз, спробувати ще,
вивернути, мов рукав, прихований ляк.
В цих кордонах усе буде лише
так, як має бути, чи не буде ніяк.

90

Життя буде, ніби письмо, просте.
З мокрого каменя проросте трава.
Її ще немає, хоча вона вже росте.
Така, як і щороку. Лише нова.

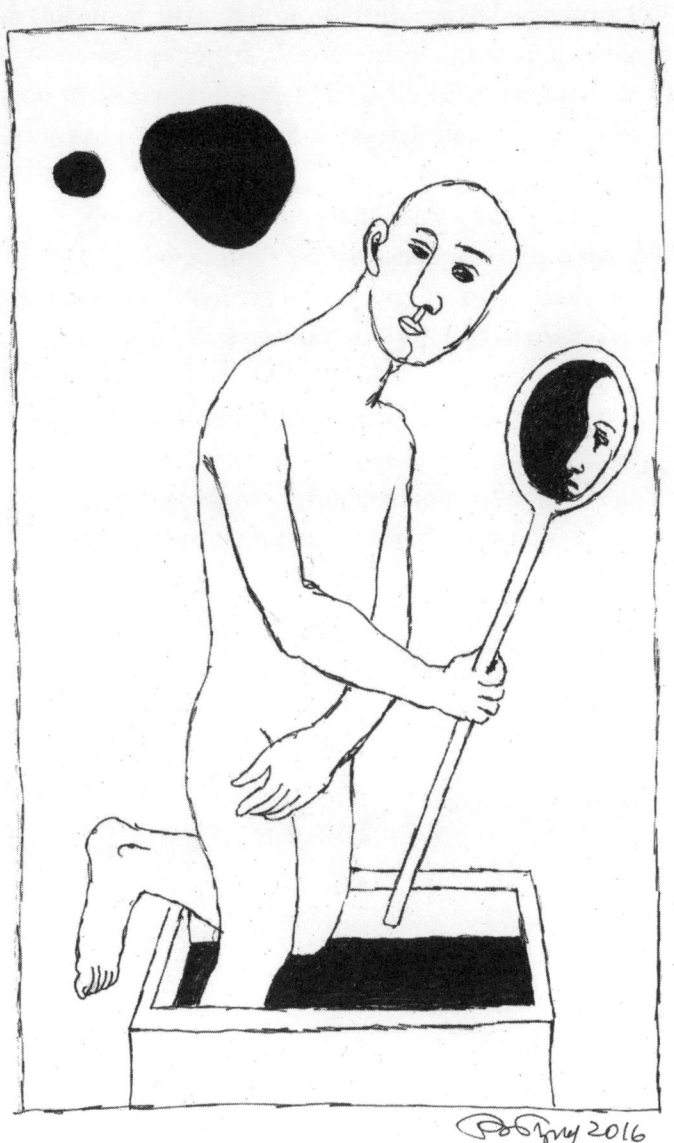

✝ ✝ ✝

І хотілося б дякувати за можливість не відповідати,
не пояснювати, не повторювати, не торкатись,
за можливість не слухати нарікань і не давати поради,
дякувати за монотонність, дякувати за строкатість.

Дякувати за ту мить між видихом і вдихом,
коли серце по-справжньому зупинялось,
дякувати за голос, який умів робитися тихим,
дякувати за байдужість, дякувати за цікавість.

Дякувати за те, що раптом не ставало відваги,
за те, що навіть не спадало на думку все забути,
за те, на що ніколи не вистачало уваги,
і за те, на що не було шкода вогню та отрути.

Дякувати за надрізи сміху — ламкого, нічного,
дякувати за мовчання рослинну тяглість,
за готовність іти до кінця, аби не оминути нічого,
за готовність віддати все, аби нічого не сталось.

✝ ✝ ✝

Здавалося б, найпростіше — торкатися неможливого,
слухати нечутне й зазирати в невидиме.
А ось стоїш серед цієї ночі під зливою
й боїшся почути, що він тобі говоритиме.

Бо раптом він скаже щось, від чого зробиться боляче,
і слова його виявляться несправедливими,
і не знатимеш потім, що робити поночі
під цими деревами, зірками й зливами.

Клени вгорі викреслюють свою готику,
і злива має зелену кров, немов каракатиця.
Так гірко торкатися того, що зникає від дотику,
гірше лише — не мати змоги торкатися.

Хай його слова будуть нічого не вартими,
але ніхто не вижене його з твоєї вулиці,
доведеться слухати, що він там співатиме —
серйозний, мов пес на ранковій прогулянці.

96

Здавалося б, неможливо все передбачити.
Здавалося б, не можна звикнути до цього протягу.
Зливи, мов жінки у вежах, засинають, ридаючи.
Дерева, як підлітки, виростають із власного одягу.

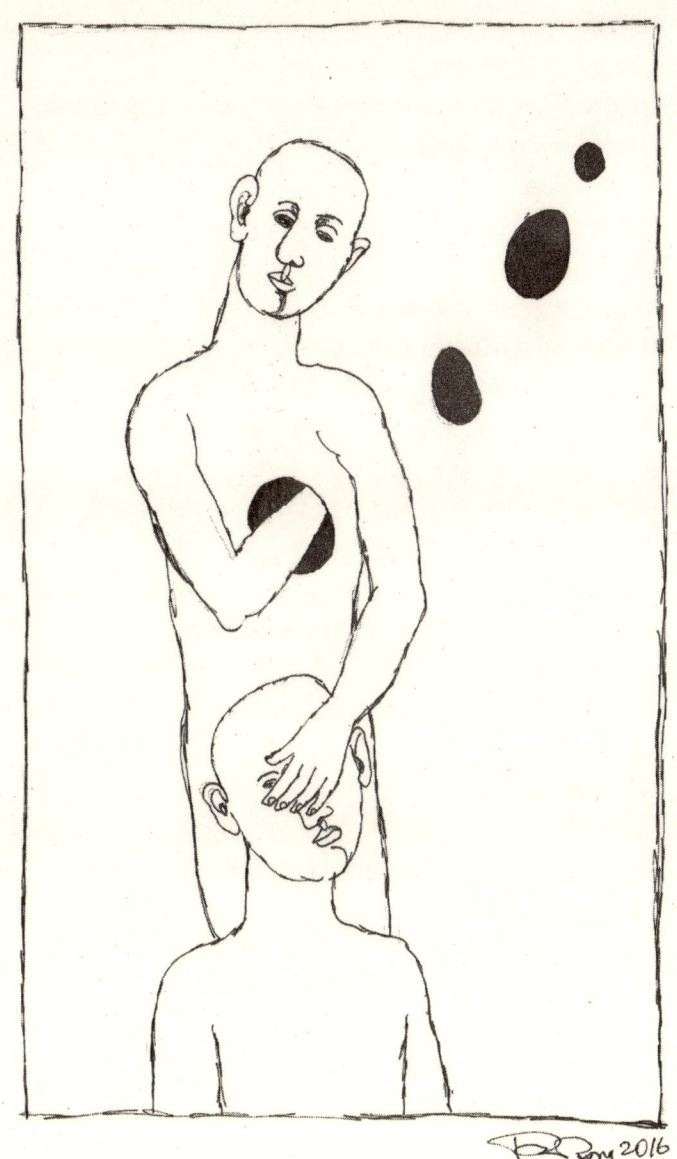

✝ ✝ ✝

Стільки дощу не вмістить жодна весна.
Добре було б пам'ятати всі імена.
Добре було б вчасно піти й не шкодувати, йдучи.
Добре було б уміти.
Я не вмію.
Навчи.

Але тепер ночі розмоклі, як сірники.
І обпікає дотик до твоєї руки.
Обпікає вуличне листя й нічні вогні.
Поясни, як ти дихаєш на такій глибині.

Добре було б тішитись, що все є таким, яким є.
Добре було б відчувати життя, розуміючи,
                                        що воно твоє.
Відчувати його, прокидаючись зранку
                              і засинаючи уночі.
Добре було б не думати про тебе.
Я не вмію.
Навчи.

Але це повітря в травні — різке, як скло.
Я знаю: тобі заважає те, що з тобою було.
Я знаю, як ти боїшся серця свого.
Я знаю: насправді ти хочеш саме цього.

100

Стільки дощу — а його несе і несе.

Я знаю все, що потрібно тому, хто знає все.

Дерева над головою. Темрява на плечі.

Я знаю все.

Я готовий вчитися далі.

Навчи.

✝ ✝ ✝

Ловити її, мов рибу, не відходити від води,
дивитись, як море викочує піску вогку руду.
Все почалося з того, що я прийшов за нею сюди.
Все закінчиться тим, що без неї я не піду.

Розгортається небо й світиться глибина.
Птахи малюють вгорі кола свої.
Я знаю цей світ напам'ять, до самого дна.
Єдине, чого я не знаю, — як піймати її.

Скільки часу на це пішло, скільки зусиль.
Птахи перегукуються між собою в своєму гурті.
Я б радо кинув усе й пішов звідсіль,
просто я нічого більше не вмію в цьому житті.

Я б радо подався з побережжя свого,
радо б забув гострі його краї,
але ті, кому я вірю, вчили мене лише цього:
ловити її, мов рибу, ловити її.

Я ніколи не мав жодних інших занять,
обравши одного разу з усіх умінь, —
уміння лагодити гачки, що на вітрі дзвенять,
щоб полювати на голос, полювати на тінь,

102

спостерігати, як ліпиться сонце з літніх годин,
як зима починає свій дивний танок,
спостерігати за місяцем, оскільки він один
впливає на рух океанів і голоси жінок,

впливає на їхні радощі і жалі.
Виснажена рінь. Вогка руда.
Хтось провів берегові лінії по землі,
щоби світ видавався складним, як морська вода,

щоби тебе виривало зі сну, щоби давались знання,
щоби припливи були запеклими, як бої,
щоби ти весь свій час, щоночі, щодня
ловив її,
потім відпускав,
потім знову ловив її.

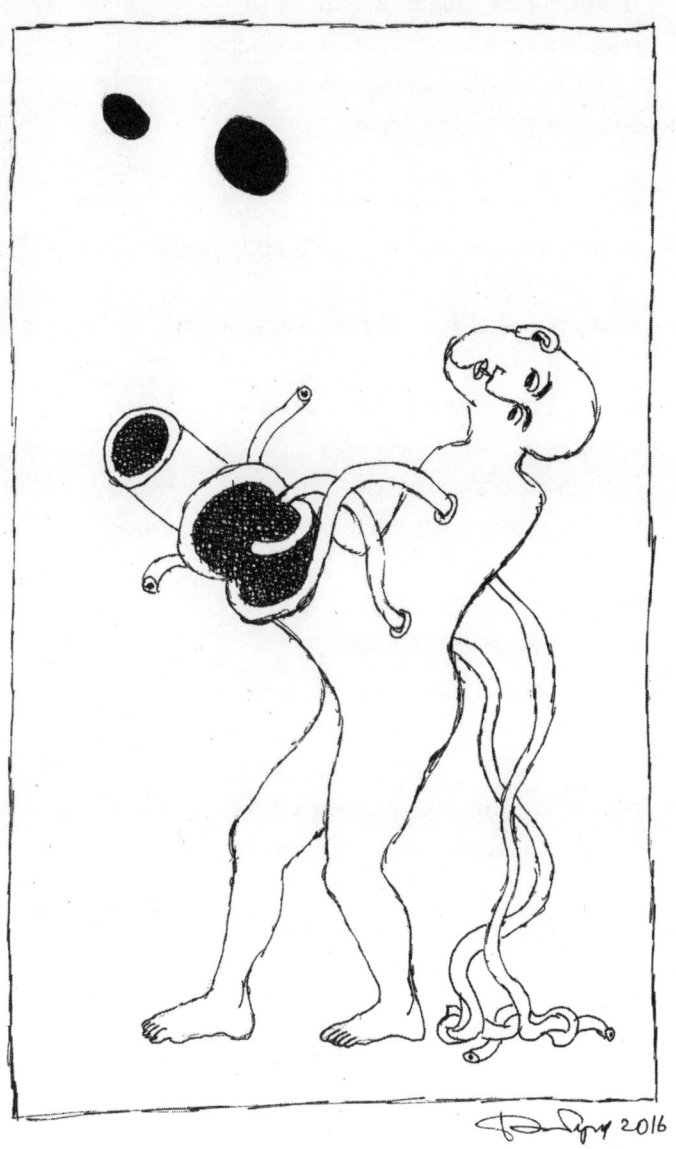

✝ ✝ ✝

Люби, люби своє ремесло,
коли життя відгороджується ровами,
і навіть про те, чого не було,
слід говорити простими словами.

Коли небо складається з холодних медуз
і птахи голосять, як панотці до парафії.
Що таке поезія? Поезія — це Ісус,
якого розпинають на хресті орфографії.

Коли серце тебе підіймає щодня
сурмою колоніальної армії.
Що таке любов? Любов — це щеня,
чий господар загинув в автомобільній аварії.

Воно тримається вірності, яка була,
і хоче вирватися на свободу,
і в клапанах твого серця потоки тепла
постійно змішуються з потоками холоду.

Світ солодкий, мов різдвяна кутя,
і зірки в кишені, як липкі цукати.
Смерть вигадав той, хто не любить життя:
йому просто потрібно було все зіпсувати.

Люби своє ремесло, люби.
Святі нав'язливі, як вуличні музиканти.
Те, що виросте з твоєї журби,
теж можна розспівувати в церквах, мов канти.

Ночі невидима течія.
Небо заповнює собою історію.
Я повторюю подумки твоє ім'я.
Ніхто не чує. Тому і повторюю.

✝ ✝ ✝

Я танцюю, — говорить вона, — доки падає сніг.
Доки танцюю, — вона говорить, — доти тримаюсь усіх.
Доти небом нічним перекочується луна.
Доки вистачить снігу, я танцюю, — говорить вона.

І коли приходить зима і заживають ґрунти,
і небо стає сухим, ніби гортань,
торкайся поверхні світу, торкайся його висоти,
огортай його хворе горло найніжнішим із огортань.

Ти розмовляєш з вуличним снігом, мов із псом,
пояснюєш йому, як вибратися з безсонь,
радиш снігові, як не загубитися у снігах,
як стишити гнів і як побороти страх.

А сніг говорить, — доки вона танцює, буду іти,
торкатимусь обережно пташиних крил,
падатиму їй під ноги із засніженої висоти,
лишатимусь поруч із нею, доки вистачить сил.

І заважає летіти птахам, і заважає текти ріці.
Торкається її ліктів, лишає синці.
І тепер кожне слово її — перець на язиці.
Найгірше позаду.
Найголовніше в кінці.

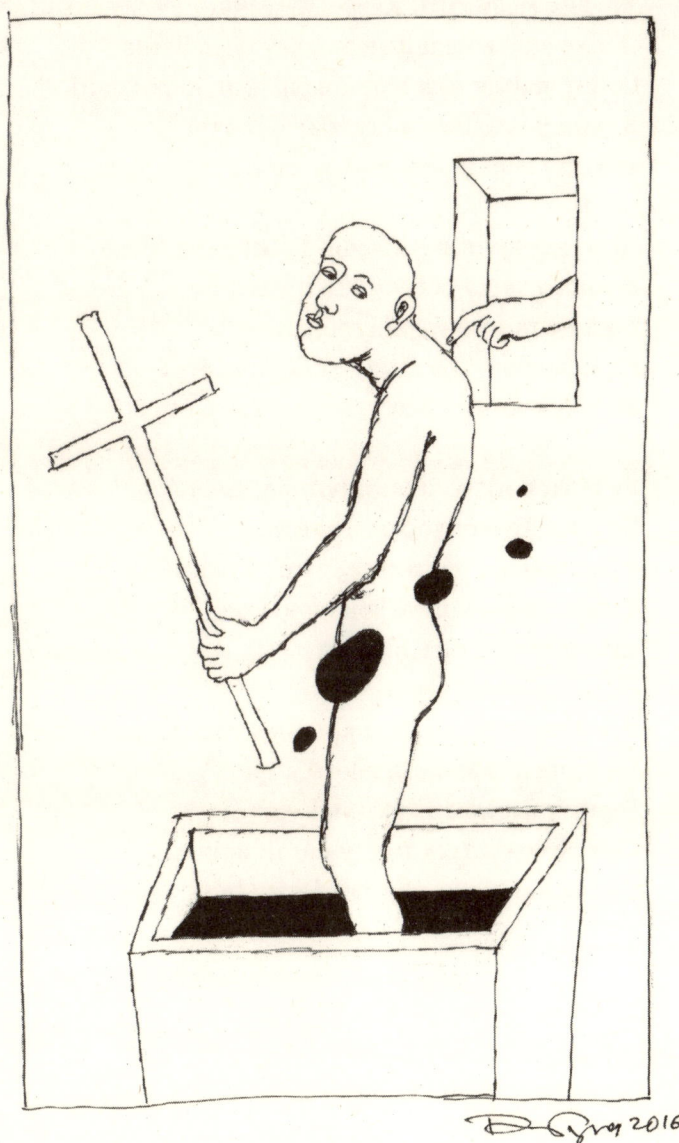

Тамплієри

1 Хто зможе вижити в середньовіччі?
Жінка спить на шрамованому передпліччі.
Сонце займається над покрівлями передмість.
Я звик до радості на твоєму обличчі —
хто про неї ще тобі розповість?

Діти вертаються надвечір з навчання.
Нічного дощу обережне втручання,
запах літа з мансард і горищ.
Я так люблю твоє дихання і мовчання,
що слухаю тебе навіть коли ти мовчиш.

Як бути в місті, яке обступила облога?
В сутінках тебе торкає тривога,
в темряві все видається таким близьким.
Є лише одна книга. Вона про бога,
але написана невідомо ким.

Я люблю твоє волосся в нічному вітрі.
На голоси із веж озираються звірі.
Рветься бузок із торф'яних узбіч.
Світ обмежується тим, у що ти віриш.
Світло вигадали, аби закінчити ніч.

Кожен, хто прийде сюди, винесе, скільки зможе.
Я знаю, що, згадуючи, ти будеш згадувати
                                    лише хороше.
Приручені, мов тварини, середні віки
охороняють нас, стаючи на чати.
Світ створено так, щоби нам було що втрачати:
цей ліс, цей голос, лівий берег ріки.

2 Що з ними буде, коли вони всі повернуться?
Стерті, мов зуби тварин, камінні вервиці,
зморшки довкола очей — глибокі, як ріки в березні.
Справжня віра виростає з єресі.

Доки вони волочаться палестиною,
сонце над ними горить золотою пластиною.
Торкайся святої землі обгорілою шкірою.
Війна за нові території завжди пов'язана з вірою.

Коли вони повернуться, коли роззброяться,
коли вони відстояться в чорній хроніці,
поруч із ними залишаться найбільш віддані.
За війною найкраще спостерігати на відстані.

Їм ще згадають усе, що сьогодні не має значення,
на них ще посиплються зречення та звинувачення,
їх ще зроблять винними в усьому, що нині діється,
їм ще влаштує трус небесна митниця.

А доки вони полохають небо знаменами,
лишаються непереможними та безіменними,
знають, що все недарма, що все по справедливості.
Чим далі війна, тим більше потрібно сміливості.

3 Ще по зимі лежать померлі в озерах,
ще в кожному поцілунку може ховатись хвороба,
а вони вже шліфують камені по кар'єрах,
і озивається порожньо кам'яна утроба.

Ще вуста після голоду такі солоні,
хтось і далі залишається у полоні,
а вони тягнуть каміння до міста, волочуть пісками,
відбудовують вулиці збитими в кров руками.

Тешуть каміння, тешуть, змінюють краєвиди,
ламають повітря, переінакшують світло,
роблять цей світ таким, щоби його

                          можна було любити,
щоби в ньому було не так безнадійно й підло.

Всім, хто лишився жити після тяжкого мору,
всім, хто зберіг свою радість і непокору,
кожному, хто вцілів під важкими зірками—
вони відбудовують місто збитими в кров руками.

116

Муровані ними стіни, віконні рами,
зведене риштування, міцні канати.
Сонце стоїть над мулярами й каменярами.
Ще стільки часу, щоби все це порятувати.

Зміст

6 Їй п'ятнадцять і вона торгує
квітами на вокзалі

8 Як ми будували свої доми?

12 Міста будували з сонця і глини

14 В місті з'явилися невідомі святі

18 Цього літа всі полюють акул

20 Другий рік місто косить чума

22 Кидай мертвих за борт

26 Провидіння завжди стереже

28 Кнопочна нокіа. Єдина родина

30 В ґетто ніхто не святкує різдво

34 Я знав священика, який був у полоні

36 Дихає ночі теплий звіринець

40 Сніг заносить залізничні перегони

42 «Ти так давно не голився»

46 Повітря з ночі стигне холодом і вже

48 Коли вона остигає, ніби вогонь

52 На пагорбах, які лежать вночі

54 Тоді починається вечір. Саме тоді

58 Немає такого світла й такого проміння

60 Світло горіло всю ніч до ранку

64 — Де твій брат, чуєш, де твій брат?

66 Вони навіть можуть жити в різних містах

70 На перевалі дим

72 Заходь за мною в сніг

76 Зима приносить віру і спокій

78 Хтось підглядає за тобою в шпарку

82 На кораблі вантажать зерно

84 Все, як сто років тому

88 І стільки світла. Щоразу. Навіки

90 Виверни рукави осель

94 І хотілося б дякувати за
можливість не відповідати

96 Здавалося б, найпростіше —
торкатися неможливого

100 Стільки дощу не вмістить жодна весна

102 Ловити її, мов рибу, не відходити від води

106 Люби, люби своє ремесло

108 Я танцюю, — говорить
вона, — доки падає сніг

Тамплієри

112 Хто зможе вижити в середньовіччі?

114 Що з ними буде, коли вони
всі повернуться?

116 Ще по зимі лежать померлі в озерах

Літературно-художнє видання

Сергій Жадан

ТАМПЛІЄРИ

Відповідальна редакторка Євгенія Лопата
Літературний редактор Олександр Бойченко
Коректор Петро Коробчук
Ілюстратор Олександр Ройтбурд
Дизайн Миколи Леоновича [smalta.pro]
Обкладинка Вікторії Гапоненко

На суперобкладинці використано малюнок
Олександра Ройтбурда «Улісс»

Видання здійснено на замовлення Міжнародної
літературної корпорації Meridian Czernowitz

ББК 84.4 Укр

Ж15   **Жадан, Сергій**

Тамплієри. Поезії / Сергій Жадан. — Чернівці : Видавець Померанцев
Святослав, 2023. — 120 с.

ISBN 978-617-8024-25-3

© Видавець Померанцев Святослав, 2023.
© Сергій Жадан, 2016, *текст*
© Олександр Ройтбурд, 2016, *ілюстрації*
© Микола Леонович, 2016, *дизайн*

Усі права застережено

Підписано до друку 07.07.2023. Формат 60×90 1/16.
Гарнітура Conqueror Slab. Умов.-друк. арк. 6,53.
Обл.-вид. арк. 6,70. Наклад 3 000 прим. Замовлення № ЗК-006292.

Видавець Померанцев Святослав office@meridiancz.com
Свідоцтво про державну реєстрацію

ДК № 7266 від 01.03.2021 р.

Офіційний дистриб'ютор
Видавництво «Книги – XXI»
Адреса для листування:
а/с 274, м.Чернівці, 58032, Україна
тел.: +38 (0372) 58 60 21, моб. +38 098 71 50 181
booksxxi@gmail.com • books-xxi.com.ua

Віддруковано АТ «Харківська книжкова фабрика "Глобус"»
61011, м. Харків, вул. Різдвяна, 11.
Свідоцтво ДК № 7032 від 27.12.2019 р. www.globus-book.com